Les Éditions du Boréal
4447, rue Saint-Denis
Montréal (Québec) H2J 2L2
www.editionsboreal.qc.ca

L'année CHAPLEAU 2001

SERGE CHAPLEAU

L'année CHAPLEAU 2001

Boréal

Les Éditions du Boréal remercient le Conseil des Arts du Canada ainsi que le ministère du Patrimoine canadien et la SODEC pour leur soutien financier.

Les Éditions du Boréal bénéficient également du Programme de crédit d'impôt pour l'édition de livres du gouvernement du Québec.

Illustration de la couverture : Serge Chapleau

© 2001 Éditions du Boréal
Dépôt légal: 4ᵉ trimestre 2001
Bibliothèque nationale du Québec

Diffusion au Canada: Dimedia

Données de catalogage avant publication (Canada)

Chapleau, Serge, 1945-
  L'Année Chapleau

ISSN 1202-8495
ISBN 2-7646-0137-9

1. Canada - Politique et gouvernement - 1993 -   - Caricatures et dessins humoristiques. 2. Québec (Province) - Politique et gouvernement - 1994 -   - Caricatures et dessins humoristiques. 3. Caricatures et dessins humoristiques - Québec (Province). 4. Humour par l'image canadien-français - Québec (Province). I. Titre.

NC1449.C45A4   971.064'8'0207   C95-300755-3

Denis Coderre compare Jacques Parizeau au maître Jedi Yoda.

10

Ballottage aux élections présidentielles des États-Unis.

LE CENTRE NATIONAL DE NAGE SYNCHRONISÉE RESTE À TORONTO

DÉBAT DES CHEFS

En parlant des citoyens de la région de Québec, Pierre Pettigrew invite le Québec profond à aller voter.

17

Réactions aux propos controversés d'Yves Michaud.

Boulerice menace de démissionner...

LES AVENTURES DE RABBI MICHAUD

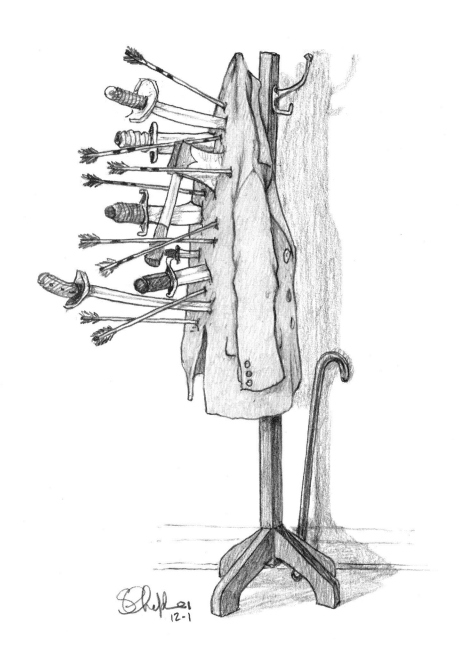

Lucien Bouchard quitte la politique.

1996

2001

**Après son opération à la main droite et
une convalescence d'un mois, le caricaturiste Serge Chapleau
nous revient parfaitement remis.**

31

APRÈS L'AFFAIRE MICHAUD, LA DÉMISSION DE BOUCHARD, LE CHIFFON ROUGE DE LANDRY, LES GAFFES DE LEGAULT, QUE FAIT LE CHEF DE L'OPPOSITION JEAN CHAREST...
OK!.. OK!!! 5 MINUTES PIS J'ME LÈVE.

René Angélil vend en exclusivité les photos de son fils à un magazine espagnol.

Christiane Charette fait une entrevue houleuse avec Bernard Landry.

TOUT LE MONDE A DROIT À SON 15 MINUTES DE GLOIRE

Québec est l'hôte du Sommet des Amériques.

41

Slobodan Milocevic doit comparaître devant le Tribunal pénal international pour l'ex-Yougoslavie.

Arrestation massive chez les Hell's Angels.

La guerre du bois d'œuvre avec les États-Unis se poursuit.

Haïti blâmé au Sommet de Québec.

La nouvelle ministre des Finances dépose son budget.

DENIS CODERRE CONSIDÈRE LE SPORT COMME UN SUPPORT DE L'UNITÉ CANADIENNE

2001: ODYSSÉE DE L'ESPACE

Le milliardaire américain Dennis Tito est l'invité des Russes à bord de la station orbitale internationale.

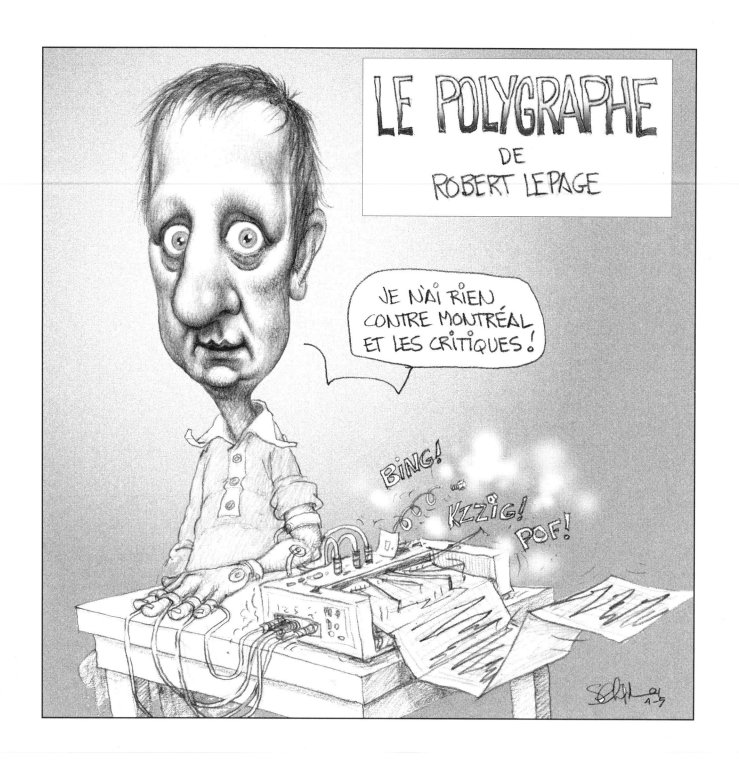

Aux douanes, un chef mohawk doit payer des taxes sur la lessiveuse qu'il a achetée aux États-Unis, selon un jugement de la Cour suprême.

Les manifestants du Sommet de Québec retrouvent leur liberté.

Jeffrey Loria prend le contrôle des Expos.

Parlons théâtre en compagnie de messieurs Robert Lepage et Robert Lévesque

On apprend que Gaétan Frigon, président de la SAQ, roule en Jaguar.

Jean Chrétien déclare : « Si les ministres avaient été gentils, je serais peut-être parti. »

L'autoexamen des seins est risqué

79

La Chine obtient les Olympiques de 2008.

Défilé de la fierté gaie à Montréal.

Les fonctionnaires optent sans autorisation pour le confort de la première classe
...QUAND MÊME PAS POUR VOYAGER SUR AIR TRANSAT!
AU MOINS, NOUS AUTRES, ON MANQUERA PAS DE CARBURANT...
28-8

Un appareil d'Air Transat se pose d'urgence aux Açores.

CONFÉRENCE DE L'ONU CONTRE LE RACISME:
COON COME DÉNONCE LA "HONTE CACHÉE DU CANADA"

Les service des incendies de Montréal cherche un prétexte pour évincer les squatteurs.

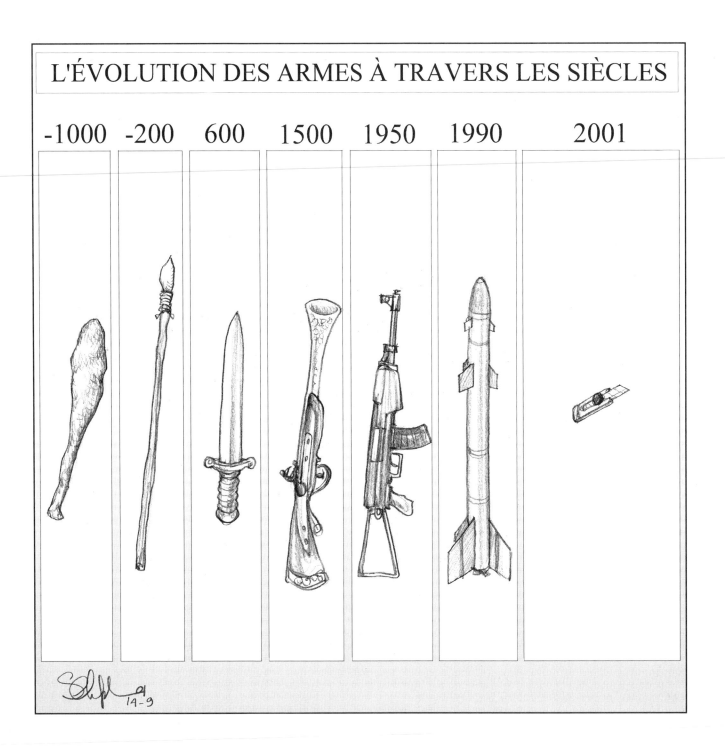

L'ÉVOLUTION DES ARMES À TRAVERS LES SIÈCLES

-1000   -200   600   1500   1950   1990   2001

Fermeture de l'usine GM à Boisbriand.

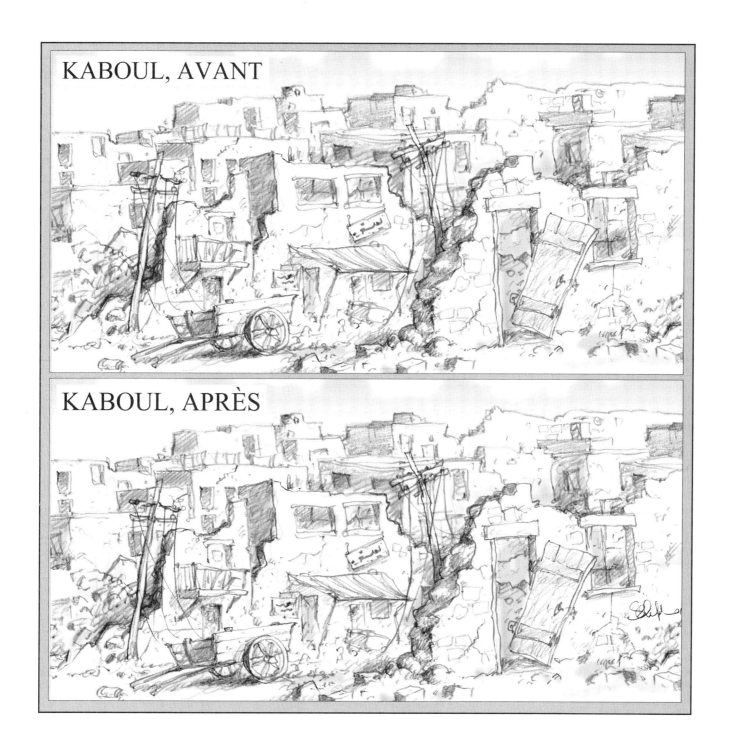

KABOUL, AVANT

KABOUL, APRÈS

113

Le Canada resserre ses normes de sécurité.

115

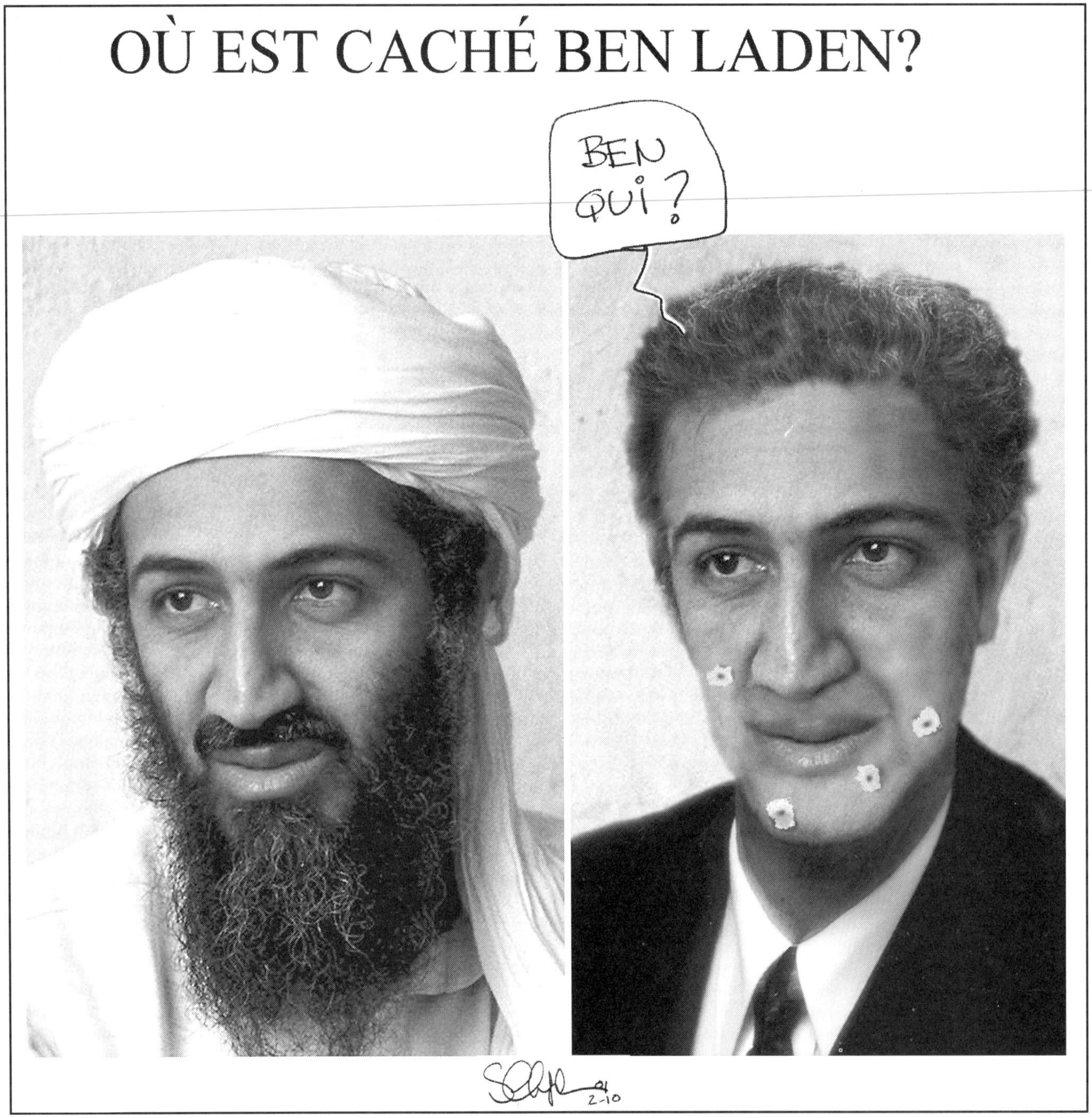
OÙ EST CACHÉ BEN LADEN?
BEN QUI?
2-10

Le Théâtre du Nouveau Monde fête ses cinquante ans.

À Hull, des boîtes de sirop d'érable provoquent un fausse alerte à la guerre biologique.

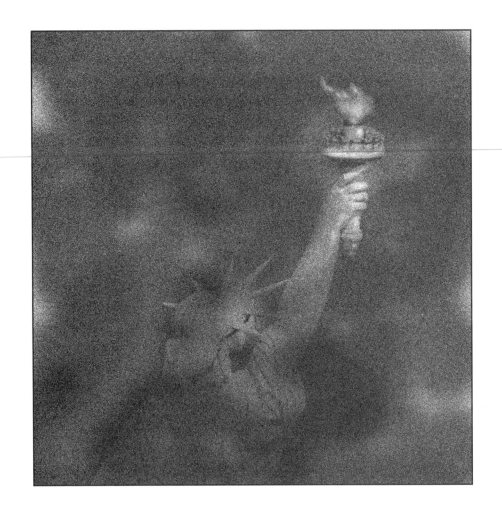

ACHEVÉ D'IMPRIMER EN NOVEMBRE 2001
SUR LES PRESSES DE TRANSCONTINENTAL IMPRESSION
IMPRIMERIE GAGNÉ À LOUISEVILLE (QUÉBEC).